劉福春・李怡 主編

民國文學珍稀文獻集成

第一輯
新詩舊集影印叢編　第29冊

【冰心卷】

冰心詩集

上海：北新書局 1932 年 8 月版

冰心　著

花木蘭文化出版社

國家圖書館出版品預行編目資料

冰心詩集／冰心 著 — 初版 — 新北市：花木蘭文化出版社，2016

〔民 105〕

322 面；19×26 公分

（民國文學珍稀文獻集成·第一輯·新詩舊集影印叢編 第29冊）

ISBN：978-986-404-622-5（套書精裝）

831.8   105002931

ISBN-978-986-404-622-5

9 789864 046225

民國文學珍稀文獻集成·第一輯·新詩舊集影印叢編（1-50 冊）

第 29 冊

冰心詩集

著　　　者	冰心	
主　　　編	劉福春、李怡	
企　　　劃	首都師範大學中國詩歌研究中心	
	北京師範大學民國歷史文化與文學研究中心	
	（臺灣）政治大學民國歷史文化與文學研究中心	
總 編 輯	杜潔祥	
副總編輯	楊嘉樂	
編　　　輯	許郁翎	
出　　　版	花木蘭文化出版社	
社　　　長	高小娟	
聯絡地址	235 新北市中和區中安街七二號十三樓	
	電話：02-2923-1455／傳眞：02-2923-1452	
網　　　址	http://www.huamulan.tw 信箱 hml810518@gmail.com	
印　　　刷	普羅文化出版廣告事業	
初　　　版	2016 年 4 月	
定　　　價	第一輯 1-50 冊（精裝）新台幣 120,000 元	

版權所有·請勿翻印

冰心詩集

冰心 著

北新書局（上海）一九三二年八月初版。原書三十二開。所用底
本封面缺。

冰心女士著

冰 心 詩 集

上海北新書局發行

冰心詩集目次

冰 心 詩 集

自 次

3

冰心詩集

迎神曲

靈臺上——
燃起星星微火，
蹜蹜地低頭膜拜。

問「來從何處來？
去向何方去？
這無收束的塵寰，
可有眾生歸路」

冰 心 詩 集

空華影落，
萬籟無聲，
隱隱地湧現了：
是寶蓋珠幢，
是金身法相。

「只為問『來從何處來？
去向何方去』」
這輪轉的塵寰，
便沒了眾生歸路！」

道　神　曲

一世界上，
來路便是歸途，
歸途也成來路。

送神曲

「世界上，
來路便是歸途，
歸途也成來路。

「這輪轉的塵寰，
何用問

「一來從何處來？
去向何方去」——

送神曲

「更何處有寶蓋珠幢？
又何處是金身法相？
即我——
也即是衆生。

「來從去處來，
去向來處去。
向那來的地方，
尋將去路。」

靈臺上——

燃着了常明燈火，
深深地低頭膜拜。

無月的中秋夜，一九二一。

病 的 詩 人

病的詩人（一）

詩人病了——

詩人的情緒

更適合於詩了，

然而詩人寫不出。

菊花的影兒在地，

藤椅兒背着陽光。

書落在地上了，

7

不想拾起來，
只任他微風吹捲。

窗兒開着，
簾兒颺着，
人兒無聊，
只有：
書是舊的，
花是新的。

鏡裏照着的，
是消瘦的龐兒；

病 的 詩 人

手裏拿着的，
是沉重的傘兒。

却感着愉快。
憔悴的詩人，
却含着清新；
凝澀的詩意，

更適合於詩了，
詩人的情緒
詩人病了——
然而詩人寫不出！

9

病的詩人（二）

詩人病了——
却怪窗外天色，
怎的這般陰沈！

天也似詩人，
只這樣黯寂消沈。

一般的：
釀詩未成，

病 的 詩 人

釀雪未成。

牆外的枯枝，
屋上的爐烟，
和着隱隱的市聲，
悠悠的送去了幾許光陰？

詩人病了——
却怪他窗外天色
怎的這般陰沈！

十二，五，一九二一

詩的女神

她在窗外悄悄的立着呢！

簾兒吹動了——

窗內，

窗外，

在這一刹那頃，

忽地都成了無邊的靜寂、

看呵，

賣女的神

是這般的；
滿蘊着溫柔，
微帶着憂愁，
欲語又停留。

夜巳深了，
人巳靜了，
屋裏只有花和我，
請進來罷！

只這般的凝立着麼？
量我怎配迎接你？

13

詩的女神呵！

還求你只這般的，

經過無數深思的人的窗外。

十二，九，一九二一。

假如我是個作家

假如我是個作家，
我只願我的作品，
入到他人腦中的時候，
不覺的不在意的沒有一個印象，

流水般過去了，
不值得讚揚，
更不值得詆毀，
悠閒的在我的生活中

痛苦，或快樂臨到時，

他便模糊的想起

好像這光景曾在誰的文字裏描寫過；

這時我便要流下快樂之淚了！

假如我是個作家，

我只願我的作品

被一切友伴和同時有學問的人

　　輕蔑——譏笑；

然而在孩子，農夫和恐拙的婦人，

他們聽過之後，

　　慢慢的低頭，

假如我是個作家

深深的思索，
我聽得見「同情」在他們心中鼓盪；
這時我便要流下快樂之淚了！

假如我是個作家，
我只願我的作品
在世界中無有聲息，
沒有人批評，
更沒有人注意；
只有我自己在寂寥的白日或深夜，
對着明明的月
絲絲的雨

冰 心 詩 集

颯颯的風，

低聲念誦時，

能以再現幾幅不模糊的圖畫；

這時我便要流下快樂之淚了！

假如我是個作家，

我只願我的作品

在人間不露光芒，

沒個人聽聞，

沒個人念誦，

只我自己愛愁快樂，

或是獨對無限的自然，

假如我是個作家

能以自由抒寫，
當我積壓的思想發落到紙上，
這時我便要流下快樂之淚了！

一八一九二二。

19

「將來」的女神

我抬頭已瞥見了——
你桂花的冠子，
雪白的羽衣。

你胸前的瓔珞，
是心血般鮮紅，
淚珠般潔白。

你翅兒只管遨翔，
琴兒只管彈奏。

神女的'來將'

你怎的只是向前飛，
不肯一回顧？

你的光明的臉：
也許是歡樂，
一也許是黯淡；
也許是微笑，
也許是含愁；
只令我迷糊恍惚——

你怎的只是向前飛，
不肯一回顧？

21

將來——
　是海角，
　是天涯，
天上——人間，
都是你遙遙導引——
你怎的只管向前飛，
　不肯一囘顧？

看——
只有飄飄雲髮，
　琤琤琴韻，
颯颯天風

神女的「來將」

如何——如何？
你怎的只管向前飛，
不肯一囘顧？

一，廿六，一九二二。

23

嚮往

（為德詩人哦德九十年紀念作）

萬有都蘊藏着上帝，
萬有都表現着上帝；
你的濃紅的信仰之華，
可能容她采擷麼？

嚴肅！
温柔！
自然海中的遨遊，

往　　舊

詩人的生活，

不應當這樣麼？——

在「真理」和「自然」裏，

挽着「藝術」的嬰兒，

活潑自由的走光明的道路。

聽——聽

天使的進行歌聲起了！

先驅着！

可能慢些走——？

時代之櫥的內外，

都是「自然」的寵兒呵！
在母親的愛裏，
互相視爲讎罷！

一九二三，四，二。

病的詩人（三）

詩人病了！——
感謝病的女神，
替他和困人的紙筆，
斷絕了無謂的交情．

牀邊——
只矮矮的小儿，
朵朵的紅花，

27

和曲曲的畫屏，

幾日的圈住性靈。

長日如年，

嚴靜裏——

只傾聽窗外葉兒細響，

又低誦幾家詞句：

「庭院深深……」

是誰游絲般吹弄？

又是誰流水般低唱？

輕輕地起來

人 聲 的 病

撩起窗簾，
放進清音。

只是簫聲宛轉，
只是詩情游漾，
奈筆兒拋了，
紙兒棄了，
只好聽——聽。

只是一聲聲，
何補空冥？
感謝病的女神，

29

替他和弄人的紙筆，
斷絕了無謂的交情。

四，二十七，一九二二。

不　　　　　忘

不忘

撕下日歷來，

今日何日？

一陣烏黑的雲彩，

撲到我眼前來了。

『和平者！

哲學家！』——

我禁止自己不想他，

繁星心集

但我只是想着他。

我只是這般惰性！

我不能裝作和平者，
我也不配作哲學家；
我只曉得
人愛我──我也愛他，
人恨我──我也……。

樹葉兒般的一塊地，
是我的家。
我永遠也不忘了他！

五，七，一九二一。

32

晚禱（一）

濃濃的樹影
做成帳幕，
絨絨的草坡
便是祭壇——
慈憐的月
穿過密葉，
照見了虔誠靜寂的面龐。

33

四無人聲，

嚴靜的天空下，

我深深叩拜——

萬能的上帝！

求你絲絲的纖了明月的光輝，

作我智慧的衣裳，

莊嚴的冠冕，

我要穿着他，

溫柔地沉靜地酬應衆生。

烦惱和困難，

在你的恩光中，

禱　　晚

一齊拋棄；
只剛強自己，
保守自己
　　　讚美大靈！

永遠在你座前
作聖潔的女兒，
光明的使者，

四無人聲，
嚴靜的天空下，
只慈憐的月
照著虔誠靜寂的面龐。

五，十二，一九二二。

35

玫瑰的陰下

衣裳上，
書頁上，
都閃爍着
葉底細碎的朝陽。

我折下一朵來，
等着——等着，
濃紅的花瓣，

愛的玫瑰下

正好襯她雪白的衣裳。

冰涼的石堦上，
坐着——坐着，
等她不來，
只聞見手裏
玫瑰的幽香！

五，十八，一九二二。

37

不忍

我用小杖
將網兒挑破了,
辛苦的工程
一霎時便拆毀了。

我用重簾
將燈兒遮蔽了,
窗外的光明

不　　忍

一霎時便隱沒了。

我用微火
將新寫的字兒燒燬了，
幽深的詩情
一霎時便消滅了。

我用冰冷的水兒
將花上的落葉冲走了，
無聊的慰安
一霎時便洗蕩了。

我用矯決的詞兒
將月下的印象掩沒了，
自然的牽縈
一霎時便斬絕了。

上帝！
在渺茫的生命道上，
除了「不忍，」
我對衆生
更不能有別的慰藉了。

這些都是「不忍」呵——

七，一二，一九二二。

40

十 年

十年

她寄我一封信，
提到了江南晚風天，
她說「只是佳景
沒有良朋！」

八個字中，
我想着江波，
想着晚霞，

想着獨立的人影。

這裏是
只有悶雨，
只有黃塵，
只有窗外靜沉沉的天。

我的朋友！
誰說人生似浮萍？
暫住……
一暫住又已是十年！

八，十九，一九二二。

使命

一個春日的早晨——
流水般的車上；
細雨灑着古牆，
　　濕着楊柳，
我微微的覺悟了我擱淺的使命。

一個夏日的黃昏——
止水般的院裏：

晚霞照着竹篷，
　照着槐樹，
我深深的承認了我攜帶的使命。

覺悟——承認，
試囘首！
　是歡喜還是惆悵？
已是兩年以後了！

又，
二三，一九二一。

紀事

——贈小弟冰季——

右手握着彈弓，

左手弄着泥丸——

背倚着柱子

兩足平直地坐着。

仰望天空的深黑的雙眼，

是偵伺着花架上

偷啄葡萄的烏鴉罷？

45

冰 心 詩 集

然而殺機裏却充滿着熱愛的神情！

我從窗內忽然瞥見了，
我不覺凝住了，
愛憐的眼淚
已流到頰上了！

八，二二，一九二一。

中秋前三日

中秋前三日

浸人的寒光，
撲人的清香——
照見我們絨樣的衣裳，
微微地引起了
絨樣的悲傷。

我的朋友，
正是「花好月圓人壽」

47

何來惆悵!
便是將來離別,
今夕何夕,
也須暫忘!

一九二一
九二夜,

安慰（一）

我曾夢見自己是一個畸零人，
醒時猶自嗚咽。
因着遺留的深重的悲哀，
這一天中
我憐恤遍了人間的孤獨者。

我曾夢見自己是一個畸零人，
醒時猶自嗚咽。

因着相形的濃厚的快樂，

這一天中。

我更覺出了四圍的親愛。

母親！

當我坐在你的枕邊

和你說着這些時，

雖然是你的眼裏滿了淚，

我的眼裏滿了淚呵——

我們却都感謝了

造物者無窮的安慰！

九二十四晨，一九二一。

50

安慰（二）

『二十年的海上，
我呼吸着海風——
我的女兒！
你文字中
怎能不帶些海的氣息！』

單調的憂慮，
都歡喜的消融在

這一句話裏了！

一九二一，六，十

52

晚禱（二）

我抬頭看見繁星閃爍着——

秋風冷冷的和我說：

『這是造物者點點光朙的眼淚，

為着宇宙的晦冥！』

我抬頭看見繁星閃爍着——

枯葉戚戚的和我說：

『這是造物者點點光朙的眼淚，

為着人物的銷沈！

造物者！
我不聽秋風，
不睬枯葉

這一星星——點在太空，
指示了你威稜的邊際，
表現了你慈愛的涯涘。

人物——宇宙，
銷沈也能，
晦冥也能，

我只仰望着這點點的光明！

十二十三夜，一九二二。

致詞

假如我走了
慧星般的走了——
母親！
我的太陽！
七十年後我再回來，
到我軌道的中心
五色重輪的你時，
你還認得這一點小小的光明麼？

假如我去了；

落花般的去了——

母親！

我的故枝！

明年春日我又囘來，

到我生命的根源

——叅天凌雲的你時，——

你還認得這一陣微微的芬芳麼？

她凝然……含淚的望着我，

無語——無語。

罰　　致

母親！
致詞如此，
累你淒楚——
萬全之愛無別離，
萬全之愛無生死！

二四一九二三。

57

解脫

月明如水，

樹下徘徊——

沉思——沉思。

沉思裏拾起枯枝，

慨然的鞭自己

地上月中的影子。

「人生」——

脫　　　解

世人都常他是一個夢，
且是一個不分明的夢。

不分明裏要他太分明，
我的朋友，

一生的憂患
從今起了！

我的朋友！
珍惜她如雪的白衣，
却仍須渡過
這無邊的黑海。

世界既不捨棄你，

59

何如你捨棄了世界？

讓她鶴一般的獨立，

雲一般的自由

水一般的清靜。

人生縱是一個夢呵，

也做了一個分明的夢，

沉思——沉思，

沉思裏拋了枯枝，

悠然的看自己

地上月中的影子，

二，五夜，一九二五。

信誓

文藝好像射獵的女神，

我是勇猛的獅子。

在我逾山越嶺，

尋覓前途的時候，

她——當胸一箭！

在她躊躇滿志的笑聲裏，

我從萬丈的懸崖上

倏然奔墜於

她的光華輕軟的羅網之中。

文藝好像遊牧的仙子，
我是溫善的羔羊。
甘泉潺潺的流着
青草遍地的長着；
她慈憐的眼光俯視着，
我恬靜無聲地
俯伏在她杖竿之下。

文藝好像海的女神，
我是忠誠的舟子，

63

舊信

寄一葉的生涯於
她起伏不定的波濤之上，
她的笑靨
引導了我的前途，
她的怒顰
指示了我的歸路。

文藝好像花的仙子，
我是勤慎的園丁。
她的精神由我護持，
她的心言我須聽取；
深夜——清晨，

63

為她關心着

無情的風雨。

所言止此；

後無來者；

前無古人，

徬徨裹——

「為主為奴相終始！」

三十四，一九二三。

惘 惘

惘悵

當岸上燈光，
水上星光，
無聲地遙遙相照。

蒼茫裏，
倚着高欄，
只聽見微顫船舷的波浪。

我的心
是如何的惘悵——無着！

夢裏的母親
來安慰病中的我，
絮絮地溫人的愛語——
幾次醒來，
藥杯兒自不在手裏。

海風壓金，
明燈依然，
我的心
是如何的惆悵——無着！

循着欄杆來去，

66

懺　悔

群中的歡笑，
掩不過靜裏的悲哀！
「我在海的懷抱中了，
母親何處？」

天高極，
海深極，
月清極，
人靜極，
空泛的宇宙裏，
我的心
是如何的惆悵──無着！

一九二三，
五・二七，
夜。

紙船 寄母親

我從不肯妄棄了一張紙，

總是留着——留着，

疊成一隻一隻很小的船兒，

從舟上拋下在海裏。

有的被天風吹捲到舟中的窗裏，

有的被海浪打濕沾在船頭上。

我仍是不灰心的每天的疊着，

船　　　　紙

總希冀有一隻能流到我要他到的地方去。

母親，倘若你夢中看見一隻很小的白船兒，
不要驚訝他無端入夢。
這是你至愛的女兒含着淚疊的，
萬水千山求他載着她的愛和悲哀歸去。

八，二十七，一九二三。

69

鄉愁

我們都是小孩子，
偶然在海舟上遇見了。
喋喋的資料窮了之後，
索然的對坐
無言的各起了鄉愁。

記否十五之夜，
滿月的銀光

憶　　　鄉

射在無邊的海上。

琴絃徐徐的撥動了，
生澀的不動人的調子，

天風裏，
居然引起了無限的凄戾？

記否十七之晨，
濃霧塞窗，
冷寂無聊。

角兒裏相挨的坐着——
不干已的悲劇之一幕，
囂聲低誦的時候，

繁　詩　心

竟引起你滿淚沾裳？

『你們眞是小孩子，

巳行至此，

何如作壯語』？

我的朋友！

前途只閃爍着不定的星光，

後顧却望見了飄揚的愛幟，

爲着故鄉，

我們原只是小孩子！

不能作壯語

歎　　　鄉

不忍作壯語，

也不肯作壯語了！

八，二十七，一九二三。

遠道

「青青河邊草，

綠綠想遠道──

遠道不可思，

夙昔夢見之……」

一

反覆的苦讀着

十二，十三晨，一九二三。

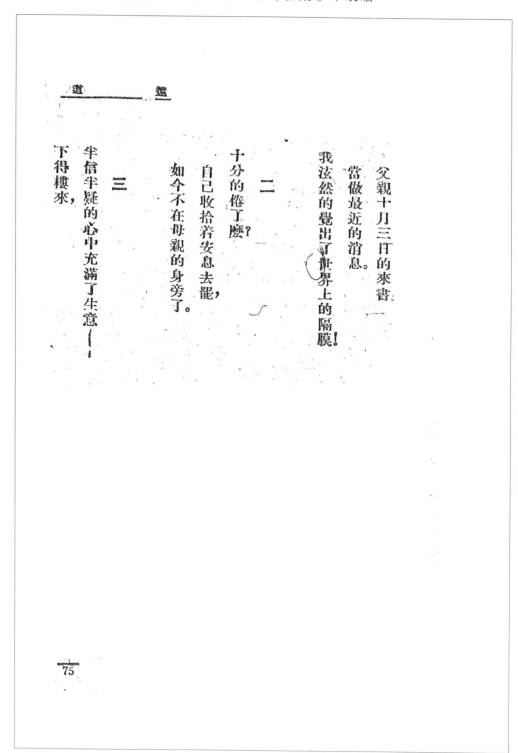

遺   囑

父親十月三日的來書——
常做最近的消息。
我泫然的覺出了世界上的隔膜！

二

十分的倦了麼？
自己收拾著安息去罷，
如今不在母親的身旁了。

三

半信半疑的心中充滿了生意——
下得樓來。

75

冰 心 詩 集

因着空的信匣，
却詛咒了無味的生活。

四

萬聲寂然，
萬衆凝神之中，
我不聽「傾國」的音樂，
却苦憶着初學四絃琴的弟弟。

五

信差悠然的關上了信櫃，
微笑說：「所有的都在這裏了。」

遙　　　　遠

我微微的起了戰慄，
「這是何等殘忍的話呵！」
勉強不經意的收起鑰匙，
回身去看他剛送來的公園的報。

六

從回家的夢裏醒來，
明知是無用的，
却仍要閉上眼睛，
希望真境是夢，
夢境是真。

77

七

「我的父親是世界上最好的爹爹，
母親是最好的媽媽！」
在她滿足的微笑裏，
我覺起了無謂的不平。

八

「秋風起了，
不要儘到湖上去呵！」
爲着要慰安自己，
連夢中母親的話語
也聽從了！

還　　　道

九

如夜夜都在還鄉的夢裏，
二十四點鐘也平分了，
可憐并不是如此！

一〇

隔着玻璃，
看見了中國的郵票。
這一日的光陰，
已是可祝福的！

冰心詩集

經過了離別，

我凄然的承認了

許多詩詞

在文學上的價值。

二

信和眼淚，

都在敲門聲中錯亂的收起，

對着凝視着我的她，

揉着眼睛

掩飾的抱怨着煩難的功課。

80

遙　　遠

一三

朋友信中，
個個說着別離苦，
弟弟書來，
卻只是歡欣鼓舞。
我已從喜樂的字裏，
尋出淚珠了！

一四

離開母親三個月了，
覺能悠悠地生活着！

忙中猛然想起，
就含淚的褒獎自己的堅強。

一五

她提着包兒，
如飛的走下樓來，
『忙什麼？』
『再見，我回家去』
這一答是出乎意外似的，
我呆立了半晌……

一六

遠　　　道

『生活愉快麼？』

『愉快……』
是笑着回答的上半句；
『只是想家！』
是至終沒有說出的下半句。

一七

亂絲般的心緒，
都束在母親的一句話裏，
『自己愛自己！』
是的，為着愛自己，
這不自愛的童兒——

一也常停止了！

倦旅

燈已滅了，

殘花只管散着餘香。

欹枕處——

　　只一兩聲飛雨

　　打着窗戶。

聽到此時，

一切的心都淡了！

新月未落，
朝霞已生，
濛濛裏——
一顆曙星
躲避天光似的
穿著亂雲飛走。

好辛苦的路途呵！
若到此時
一切的心都淡了！

銀海般的平地，
怒潮般的山風——

旅 懷

這樣的別離！
山外隆隆的車聲，
不知又送誰人遠去。
聽到此時，
一切的心都淡了！

鼓勵的信，
寄與了倦憊的人！
事遠初豈皆如此！
一書在手，
湖光睡去，
星辰漸生——

87

看到此時
一切的心都淡了！

一二，一九二四青山沙穰。

88

赴敵

I was ever a fighter, so—one fight more

The best and the last!

—— R. Browning ——

曉角遙吹，

催動了我的桃花騎。

他奮鬣長鳴

鐙鞍振響，

要我先為備。

那知道他的主人
這次心情異？

我扶着劍兒，
倚着馬兒，
不自主的流下幾點英雄淚！

殘月末墜，
曉山凝翠——
湖上的春風
吹得我心魂醉。
休想殺得個敵人，

赴　　　敵

我無有精神——
昨夜不曾睡！

我扶着劍兒，
倚着馬兒，
不自主的流下幾點英雄淚！

昨夜燈筵，
幾個知人意？
朋友們握手拍肩，
　笑談輕敵，
只長我驕奢氣。

91

如今事到臨頭，
　等閒相棄！

我扶着劍兒，
　倚着馬兒，
不自主的流下幾點英雄淚！

朝陽在地，
烏聲相媚。
迷胡裏捧起湖泉
　磨着劍兒試。
百戰過來，

敵　　　赴

誰知此次非容易？

我扶着劍兒，
倚着馬兒，
不自主的流下幾點英雄淚！

曉角再吹，
餘音在樹，
遠遠地敵人來也！
匹馬單刀，
倉皇急遽，
他也無人相助！

向前去，
生生死死無憑據！

家山何處？
一別便成落花飛絮！

等著些兒，
讓我寫幾個字兒
託一託寄書使。

拜告慈親，
暴虎馮河
只爲著無雙譽。

94

躍　　　　進

向前去，
　生生死死無憑據！

曉光下定神靜慮，
把往績從頭細數。

百萬軍中
　也曾尋得突圍路。

這番也只要雄心相助，

向前去，
　　　勇力相赴！

95

生生死死無憑據！

軒然一笑，

拔刀相顧，

巳半世英名昭著，

此戰歸來，

便是安心處！

向前去，

生生死死無憑據！

一九二五，

四，廿九晨，

於娜安辟迦槐。

相思

躲開相思，

披上裘兒

走出燈明人靜的屋子。

小徑裏明月相窺，

枯枝——

在雪地上

又縱橫的寫遍了相思，

十二，二，一九二五。

我愛，歸來罷，我愛！

這回我要你總母親的聲音，

我不用我自己的柔情——

看她顫巍巍的掙扎上泰山之巔！

一陣一陣的

突起的濃烟，

遮蔽了她的無主蒼白的臉！

她顫抖，

愛我麼來陽愛我

她泫泪漣漣。

她倉皇挂杖哀喚着海外的兒女；

她只見那茫茫束海上

無情的天壓着水

水捲着天！

「歸來麼兒啊！

看你家惡火光冲天！

你看弟兄的血肉染的遍地腥羶！

歸來麼兒啊！

你老弱的娘

那敢惹下什麼怨恣？

99

可奈那強鄰暴客

到你家來，

東衝西突

隨他的便，

他欺凌孤寡不住的烹煎！

「歸來罷，兒呵！

你娘還活得了幾多年？

逗古舊的房屋我有甚留連？

只為的是強鄰慾壑難塡，

只怕的是我海外的兒們

將來——

『愛我，歸來罷，愛我

還不如那翩翩的歸燕，

能投到你宗祖的堂前！

『歸來罷，兒呵！

先把娘的千冤萬屈，

仔細的告訴了你的友朋。

你再招聚你的弟兄們，

尖銳的箭

安上了弦！

束上腰帶，

跨上鞍韉！

用着齊整激昂的飛步，

來奔向這高舉的烽烟！

「歸來罷兒呵！

你娘橫豎是活不了幾多年。

拼死也要守住我兒女的園田！

兒呵，你到來時節，

門牆之內：

　血潮正湧，

　血花正妍！

你先殺散了那叫囂的暴客，

再收你娘的屍骨在堂樓邊！

愛我，歸來歸，愛我

我愛，歸來罷，我愛！

我不用我自己的柔情——

你聽泰山的亂石驚鳴，

你聽東海的狂濤怒生！

我愛，歸來罷我愛！

我不用我自己的柔情，

我愛，歸來罷我愛！

我要你聽母親的哀音！

五，
九夜，
一九二八。

往事集自序

我是一個盲者，
看不見生命的道途。
只總憑着竿頭的孩子，
走着跳着的引領，
一步步的踏入通衢，

心頭有說不出的虛空與寂靜，
心頭有說不出的迷惘與胡塗；

104

往事集自序

小孩子，你緩一緩脚步，
讓我歇在這涼蔭的牆隅。

擦了擦臉上的汗汙。
我起身整一整衣袂，
對我在不住的傳呼；
聽人聲喧嘩着四面，

小孩子你別走遠了，
你與我仍舊攙扶！
摸索着拾起琵琶
——調着絃子，

103

我盤頓起無限的歡愉。

第一部曲是神仙故事，
故事裏有神女與仙姑；
圍繞着她們天花絢爛，
我絃索上迸落着明珠。

我聽得見人聲譁贊，
譁贊這熱鬧的須臾；
我只是微微的笑着，
笑着領受了這無謂的稱譽。

往事集自序

第二部曲我又在彈奏，
我唱着人世的歡娛：
鴛鴦對對的浮泳，
鳳凰將引着九雛。

人世間只有同情和愛戀，
人世間只有互助與匡扶：
深山裏兔兒相伴着獅子，
海底下長鯨迴護着珊瑚。

我聽得見太衆噓氣，
又似乎在擡着轎輿；

我聽得見人家在笑，

笑我這般的幼稚癡愚……

失望裏猛一聲的絃音低降，

絃梢上漏出了人生的虛無。

我越彈越覺得罣絃緊澀，

越唱越覺得聲咽喉枯！

這一來倒合了人家心事，

我聽見欣賞的嗟吁。

只無人憐惜這乾渴的歌者，

無人憐惜她衣汗的沾濡！

往事集自序

人世間是同情帶着虛僞，

人世間是愛戀帶着裝誣……

我唱到傷感淒涼時節，

我聽見人聲悄悄的奔趨。

第三部曲還未開始，

我已是孤坐在中衢，

四圍聽不見一毫聲息，——

只有秋風零葉與啼烏！

抱着琵琶我掙扎着站起，

疼酸刺透了肌膚。

109

竿頭的孩子那裏去了，

我摸索着含淚哀呼。

小孩子，你天真已被衆生傷損，

大人的罪過摧毀了你無辜，

覺悟後的徬徨使你不敢引導，

你茫然的走了把我撇在中途！

我拼着踽踽的曳着竿兒走去，

我仍要穿過大邑與通都，

第三部曲我仍要高唱，

要歌音填滿了人生的虛無！

六三夜，一九二九。北平。

我再也不能承受這樣的溫存

我從濃眠中忽然醒起。

窗外已黃昏，

西山隱約地拖出煙痕！

朦朧裏我伸出臂兒，

一要牽住夢中的愛撫，

猛然驚覺……

我已是沒娘的孩子，

我再也不能承受這樣的溫存！

屋裏已黑到沒有一絲光亮，

我全身消失在無際的悲涼；

我的魂靈如同迷途的小鳥，

在昏夜裏隨着狂風飛颺。

眼前是一片慘默的海洋！

沒有一點人聲入耳，

我腸已斷，

我淚已枯，

逼海洋慘默到無窮時候：

我再也不能承受這溫存的樣子

波面上湧出銀光！
菊花的影兒在地，
月兒正照着東牆。

我掙扎着披衣站起，
茫然地開起衚門，
滿月正自田野邊升起，
籠罩着一個圓滿的乾坤！

這樣圓滿的乾坤。
母親正在天閣，
有天母溫存的愛撫，

113

愛撫她病弱的靈魂！

只有我棄留在世上……
我淚縱枯，
我腸縱斷，
在世上我已是沒娘的孩子，
我再也不能承受這樣的溫存！

十二，五夜一九三○。

114

你 勸 我

我勸你

只有女人知道女人的心，

雖然我曉得

只有女人的話，你不愛聽。

我只想到上帝創造你

曾費過一番沉吟。

單看你那副身段那雙眼睛。

（只有女人知道那是不容易）

還有你那水晶似的剔透的心靈。

你莫相信詩人的話語！

他灑下滿天的花雨，

他對你訴盡他靈魂上的飄零，

他為你長作了天涯的編旅。

你是神女，他是信徒；

「你是王后，他是奴」

他說：妄想是他的罪過，

他為你甘心伏受天誅。

你　勸　我

你愛聽這個，我知道！
這些都投合你的愛好，
　　　你的驕傲。

別忘了他是個浪沒的詩人。
這些都只是劇意詩情，
這美麗的名詞隨他去創造。

其實只要你自己不惱，
不過還有一個好人，你的丈夫……
不說了！你又笑我對你講聖書。
我只願你想像他心中悶火般的痛苦，

117

一個人那能永遠胡塗！

一個人那能永遠胡塗，
有一天他喊出了他的絕叫，哀呼。
他掙出他胡塗的羅網，
你留停在浪慢的中途。

懞軟的是女人的心，
你也莫調弄着劇意詩情！
在詩人這只是莊嚴的游戲，
你却逗露着游戲的眞誠。—

你 勸 我

你逗露了你的真誠，
你丟失了你的好人，
時人在他无窮的游戲裏，
又尋到了一雙眼睛！

噓！側過耳朵來，
我告訴你一個祕密：

「只有永遠的冷淡，
是永遠的親密！」

七，三〇夜，一九三一。

繁星

一，

繁星閃爍著——
深藍的太空，
何曾聽得見他們對語？
沈默中，
微光裏，
他們深深的互相頌讚了。

繁　星

一二

童年呵！

是夢中的眞，

是眞中的夢，

是回憶時含淚的微笑。

一三

萬頃的顫動——

深黑的島邊，

月兒上來了。

生之源，

死之所！

冰 心 詩 集

四

小弟弟呵！
我靈魂中三顆光明喜樂的星。
溫柔的，
無可言說的，
靈魂深處的孩子呵！

五

黑暗，
怎樣的描畫呢？
心靈的深深處，

星

宇宙的深深處，
燦爛光中的休息處。

六

鏡子——
對面照着，
反而覺得不自然，
不如翻轉過去好。

七

醒着的，
只有孤憤的人罷！

聽聲聲算命的鑼兒，

敲破世人的命運。

八

殘花綴在繁枝上；

鳥兒飛去了，

撒得落紅滿地——

生命也是這般的一瞥麼？

九

夢兒是最瞞不過的呵，

清清楚楚的，

星　繁

誠誠實實的，
　告訴了
你自己靈魂裏的密意和隱藏。

一〇

嫩綠的芽兒，
和青年說：
「發展你自己！」

淡白的花兒，
和青年說：
「貢獻你自己！」

125

繁　星　　　　　一一六

深紅的歲兒，
和青年說：
「犧牲你自己！」

一一

無限的神祕，
何處尋他？
微笑之後，
言語之前，
便是無限的神祕了。

繁　　星

（二）

人類呵！
相愛罷，
我們都是長行的旅客，
向着同一的歸宿。

（三）

一
一角的城牆，
蔚藍的天，
極目的蒼茫無際——
卽此便是天上——人間。

一四

　　我們都是自然的嬰兒，
　　臥在宇宙的搖籃裏。

一五

　　小孩子！
　　你可以進我的園，
　　你不要摘我的花——
　　看玫瑰的刺兒，
　　刺傷了你的手。

一六

塵　　　繁

青年人呵！
爲着後來的囘憶，
小心着意的描你現在的圖畫。

一七
我的朋友！
爲什麽說我「默默」呢？
世間原有些作爲，
超乎語言文字以外。

一八
文學家呵！

129

着意的撒下你的種子去，
隨時隨地要發現你的果實。

一九

我的心，
孤舟似的，
穿過了起伏不定的時間的海。

二〇

幸福的花枝，
在命運的神的手裏，
尋覓着要付與完全的人。

130

屋　　簷

二

簷外的琴絃撥動了，
我的心呵！
怎只深深的繞在餘音裏？
是無限的樹聲，
是無限的月明。

三

生離——
是朦朧的月日，
死別——

是憔悴的落花。

二三

心靈的燈，
在寂靜中光明，
在熱鬧中熄滅。

二四

向日葵低下頭了：
白蓮出水了，
承認他們是最好的朋友。
向日葵對那些未見過白蓮的人，

繁 星

她亭亭的傲骨，
　分別了自己。

二五

死呵！
起來頌揚他；
是沉默的終歸，
是永遠的安息。

二六

高峻的山巔，
深闊的海上——

是冰冷的心，
是熱烈的淚；
可憐微小的人呵！

二七

詩人，
是世界幻想上最大的快樂，
也是事實中最深的失望。

二八

故鄉的海波呵！
你那飛濺的浪花，

星　焰

從前怎樣一滴一滴的敲我的磐石，
現在也怎樣一滴一滴的敲我的心絃。

二九

我的朋友，
對不住你；
我所能付與的慰安，
只是嚴冷的微笑。

三〇

光陰難道就這般的過去麼？
除却縹緲的思想之外，

135

一

事無成！

三一

文學家是最不情的——
人們的淚珠，
便是他的收成。

三二

玫瑰花的刺，
是攀摘的人的嗔恨，
是她自己的慰樂。

136

繁　　星

三三

母親呵！

撇開你的憂愁，

容我沉醉在你的懷裏，

只有你是我靈魂的安頓。

三四

創造新陸地的，

不是那滾滾的波浪，

却是他底下細小的泥沙。

三五

萬千的天使，

　要起來歌頌小孩子；

小孩子！

他細小的身軀裏，

含着偉大的靈魂。

三六

陽光穿進石隙裏，

和極小的刺果說：

『藉我的力量伸出頭來罷，

解放了你幽囚的自己！』

星 空

樹幹兒穿出來了；
堅固的磐石，
裂成兩半了。

三七

藝術家呵！
你和世人，
難道終久的隔着一重光明之籬？

三八

井欄上，
聽潺潺山下的河流——

料峭的天風、
吹着頭髮；
天邊——地上，
一回頭又添了幾顆光明。
是星兒，
還是燈兒？

三九
夢初醒處，
山下幾盞的雲衾裏，
瞥見了光明的她。
朝陽呵！

星緊

臨別的你，
已是堪憐，
怎似如今重見！

四〇

我的朋友！
你不要輕信我，
貽你以無限的煩惱，
我只是受思潮驅使的弱者呵！

四一

夜已深了，

141

我的心門要開着——

一個浮踪的旅客，

思想的神，

在不意中要臨到了。

四二

雲彩在天空中，

人在地面上——

思想被事實禁錮住，

便是一切苦痛的根源。

四三

繁　　星

真理，
在嬰兒的沈默中，
不在聰明人的辯論裏。

四四

自然呵！
請你容我只問一句話，
一句鄭重的話：
「我不曾錯解了你麼？」

四五

言論的花兒

開的愈大，
行爲的果子
結得愈小。

四六

松枝上的蠟燭，
依舊照着罷！
反復的調兒，
再彈一闋罷！
等候着，
遠別的弟弟，
從夜色裏要到門前了。

繁　星

四七

兒時的朋友：

海波呵，

山影呵，

燦爛的晚霞呵，

悲壯的喇叭呵；

我們如今是疏遠了麼？

四八

弱小的草呵！

驕傲些罷，

145

只有你普遍的裝點了世界。

四九

零碎的詩句，
是學海中的一點浪花罷；
然而他們是光明閃爍的，
繁星般嵌在心靈的天空裏。

五〇

不恆的情緒，
要迎接他麼？
他能瀝出意外的思潮，

星 繁

要創造神奇的文字。

五一

常人的批評和斷定，
好像一羣瞎子，
在雲外推測着月明。

五二

軌道旁的花兒和石子！
只這一秒的時間裏，
我和你
是無限之生中的偶遇，

147

也是無限之生中的永別；

再來時，
萬千同類中，
何處更尋你？

五三
我的心呵！
警醒着，
不要捲在虛無的旋渦裏！

五四
我的朋友！

148

星　礫

起來罷，
晨光來了，
要洗你的隔夜的靈魂。

五五

成功的花、
人們只驚慕她現時的明豔！
然而當初她的芽兒，
浸透了奮鬥的淚泉，
灑遍了犧牲的血雨。

五六

冰　心　詩　集

夜中的雨，
絲絲的織就了詩人的情緒。

五七

冷靜的心，
在任何環境裏，
都能建立了更深微的世界。

五八

一

不要羨慕小孩子，
他們的知識都在後頭呢，
煩悶也已經隱隱的來了。

繁　　星

五九

誰信一個小「心」的嗚咽，
顫動了世界？
然而他是靈魂海中的一滴。

六〇

輕雲淡月的影裏，
風吹樹梢——

六一

你要在那時創造你的人格。

風呵！
不要吹滅我手中的蠟燭，
我的家還在這黑暗長途的盡處。

六二

最沈默的一剎那頃，
是提筆之後，
下筆之前。

六三

指點我能，
我的朋友！

望　　　舒

我是橫海的燕子，
要尋覓隔水的窩巢。

六四

聰明人！
要提防的是：
憂鬱時的文字，
愉快時的言語。

六五

造物者呵！
誰能追蹤你的筆意呢？

153

百千萬幅圖畫，

每晚窗外的落日

六六

深林裏的黃昏，

是第一次麼？

又好似是幾時經歷過。

六七

漁娃！

可知道世人羨慕你？

終身的生涯，

繁 星

是在萬頃柔波之上。

六八

詩人呵！
緘默罷；
寫不出來的
——是絕對的美。

六九

春天的早晨，
怎樣的可愛呢！
融冶的風，

155

飄揚的衣袖，
靜悄的心懷。

七〇
空中的鳥！
你自有你的天地。
何必和籠裏的同伴爭噪呢？

七一
這些事——
是永不漫滅的回憶；
月明的園中，

墨　　　篆

藤羅的葉下，
母親的膝上。

七二

西山呵！
別了！
我不忍離開你，
但我苦憶我的母親。

七三

無聊的文字，
拋在燈篝。

157

冰 心 詩 集

也化作無聊的火光。

七四

嬰兒，
是偉大的詩人，
在不完全的言語中，
吐出最完全的詩句。

七五

父親呵！
出來坐在月明裏，
我要聽你說你的海。

153

星 夢

七六

月明之夜的夢呵！

遠呢？

近呢？

但我們祇這般不言語，

聽——聽

這微顫心絃的聲！

眼前光霧萬重，

柔波如醉呵！

沉——沉。

159

冰　心　詩　集

七七

小磐石呵，
堅固些罷，
準備著前後相催的波

七八

真正的同情，
在憂愁的時候，
不在快樂的期間。

七九

早晨的波浪，

遇盤

已經過去了；
晚來的潮水，
又是一般的聲音。

八〇

母親呵！
我的頭髮，
披在你的膝上，
這就是你付與我的萬縷柔絲。

八一

深夜！

請你容疲乏的我，
放下筆來，
和你有少時寂靜的接觸。

八二

什麼可以點綴了你的生活？
我的朋友！
這問題很難囘答呵，

八三

一
小弟弟！
你惱我麼？

繁　星

燈影下，
我只管以無稽的故事，
來騙取你，
緋紅的笑頰，
凝注的雙眸，

八四

寂寞呵！
多少心靈的舟，
在你軟光中浮泛。

八五

163

父親呵！
我願意我的心，
像你的佩刀，
這般的寒生秋水！

八六

月兒越近，
影兒越濃，
生命也是這般的眞實麼？

八七

知識的海中，

164

繁星

神秘的礁石上，
　　處處閃爍著懷疑的燈光呢。
感謝你指示我，
　　生命的艱難行的路！

八八

冠冕？
是暫時的光輝，
是永久的束縛。

八九

花冠低低的對看花的人說：

「少顧念我罷，
　我的朋友！
讓我自己安靜著，
開放著
　你們的愛
是我的煩憂』

九〇

坐久了，
推窗看海罷！
將無邊感慨，
都付與天際微波。

星　　宗

九一

命運！

難道聰明也抵抗不了你

生——死

都挾帶着你的權威。

九二

朝露逗串珠般呢！

去也——

風冷衣單

何曾入到煩亂的心？

167

朦朧裏數著曉星，

怪驢兒太慢，

山道太長——

夢兒欺枉了我，

母親何曾病了？

歸來也——

樽兒�了，

陽光正好，

野花如笑；

杳朦朧曉色，

隱著山門。

星　　　繁

九三

我的心呵！
你驅使我呢，
還是我驅使你？

九四

我知道了，
時間呵！
你正一分一分的，
消磨我青年的光陰！

九五

人從枝上折下花兒來，

供在瓶裏——

到結果的時候，

却對着空枝歎息。

九六

影兒落在水裏，

一句兒落在心裏，

都一般無痕迹。

九七

是真的麼？

繁　　　星

人的心祇是一個琴匣，
不住的唱着反復的音調！

九八

青年人！
信你自己罷！
只有你自己是真實的，
也只有你能創造你自己。

九九

我們是生在海舟上的嬰兒，
不知道

先從何處來，
要向何處去。

一〇〇

夜半——
宇宙的睡夢正濃呢！
獨醒的我，
可是夢中的人物？

一〇一

弟弟呵！
似乎我不應勉強着慈嬉的你，

星　　鑾

來平分我孤寂的時間。

一〇二

小小的花，
也想抬起頭來，
感謝春光的愛——
然而深厚的恩慈，
反使他終於沈默。
母親呵！
你是那春光麼？

一〇三

113

時間！
現在的我，
太對不住你麼？
然而我所拋撇的是暫時的，
我所尋求的是永遠的。

一〇四

窗外人說桂花開了，
總引起清絕的回憶；
一年一度，
中秋節的前三日。

繁星

一○五

燈呵！
感謝你忽然滅了：
在不思索的揮寫裏，
替我勻出了思索的時間。

一○六

老年人對小孩子說：
『流淚罷，
歎息罷，
世界多麼無味呵！』

小孩子笑着說：

175

冰 心 詩 集

一

我不會設想我所未經過的事。

小孩子對老年人說：

「笑罷，

跳罷，

世界多麼有趣阿！」

老年人歎着說：

「原諒我，

孩子！

我不忍回憶我所已經過的事。」

「饒恕我，

先生！

繁　星

一〇七

我的朋友！
珍重些罷，
不要把心靈中的珠兒，
拋在難起波瀾的大海裏。

一〇八

心是冷的，
淚是熱的；
心——凝固了世界，
淚——温柔了世界。

177

一〇九

漫天的思想，
收合了來罷！
你的中心點，
你的結晶，
要作我的南針。

一一〇

青年人呵！
你要和老年人比起來，
就知道你的煩悶，
是溫柔的。

星　篋

二一

太單調了麼？

琴兒，

我原諒你！

你的絃，

本彈不出笛兒的聲音。

二二

古人呵！

你已經欺哄了我，

不要引導我再欺哄後人。

一一三

父親呵！
我怎樣的愛你，
也怎樣愛你的海。

一一四

「家」是什麼，
我不知道；
但煩悶——憂愁，
都在此中融化消滅。

墨   繁

鐘在手裏，
句在心裏，
只是百無安頓處——
遠遠地却引起鐘聲！

一一五

海波不住的問着岩石，
岩石永久沉默着不會囘答；
然而他逭沉默，
巳經過百千萬囘的思索。

一一六

小茅棚，

菊花的頂子——

在那裏

要感出宇宙的獨立！

一二七

一二八

故鄉！

何堪遙望，

何時歸去呢？

白髮的祖父，

不在我們的園裏了！

繁　星

一一九

謝謝你，
　我的琴兒！
月明人靜中，
　為我頌讚了自然。

一二〇

母親呵！
這零碎的篇兒，
你能看一看麼？
這些字，

183

冰心詩集

在沒有我以前，
已隱藏在你的心懷裏。

一二二

露珠，
怎可在深夜中，
和寒花作伴——
却不容那燦爛的朝陽，
給她絲毫暖意。

一二三

我的朋友！

星　　繁

真理是什麼，
　感謝你指示我；
然而我的問題，
　不容人來解答。

一一三

天上的玫瑰，
　紅到夢魂裏；
天上的松枝，
　青到夢魂裏；
天上的文字，
　却寫不到夢魂裏。

一二四

「缺憾」呵！

「完全」需要你，

在無數的你中，

襯託出他來。

一二五

蜜蜂，

是能溶化的作家；

從百花裏吸出不同的香汁來，

釀成他獨創的甜蜜。

置 疑

一二六

蕩漾的，是小舟麼？

青翠的，是島山麼？

蔚藍的，是大海麼？

我的朋友！

重來的我，

何忍懷疑你，

只因我屢次受了夢兒的欺枉。

一二七

流星，

飛走天空，

可能有一秒時的凝望？

然而這一瞥的光明，

已長久遺留在人的心懷裏。

一二八

澎湃的海濤，

沉黑的山影——

夜已深了，

不出去罷。

宿呵！

一星燈火裏，

繁　　　星

軍人的父親，
獨立在旗臺上。

一二九
倘若世間沒有風和雨，
這枝上繁花，
又歸何處？
只惹得人心生煩厭。

一三〇
希望那無希望的事實，
解答那難解答的問題，

冰心詩集

便是青年的自殺！

（二三）

大海呵，
那一顆星沒有光？
那一朵花沒有香？
那一次我的思潮裏
沒有你波濤的清響？

（二四）

我的心呵！
你昨天告訴我，

星　繁

世界是歡樂的；
今天又告訴我，
世界是失望的；
明天的言語，
又是什麼？
教我如何相信你！

一三三

我的朋友！
未免太憂愁了麼？
「死」的淚水，
是筆尖下最後的一滴。

一三四

怎能忘却？
夏之夜，
明月下，
幽欄獨倚。
粉紅的蓮花，
深綠的荷葉，
縞白的衣裳！

一三五

我的朋友！——

繁　星

你曾登過高山麼？
你曾臨過大海麼！
在那裏
是否只有寂寥？
只有「自然」無語？
你的心中
是歡愉還是淒楚！

一三六

風雨後——
花兒的芬芳過去了，
花兒的顏色過去了，

193

果兒沉默的在枝上懸着。

花的價值，

要因着果兒而定了！

一三七

聰明人，

拋棄你手裏幻想的花罷！

她只是虛無縹緲的，

反分却你眼底春光。

一三八

夏之夜，

194

蠹

涼風起了！

襟上蘭花氣息，

繞到夢魂深處。

一三九

雖然爲著影兒相印：

我的朋友！

你儘可對模糊的鏡子，

不要照澄澈的深潭，

她是屬於自然的！

一四〇

一四一

小小的命運，
每日的轉移青年；
命運是覺得有趣了，
然而青年多麼可憐阿！

一四二

思想，
只容心中遊漾。
剛拿起筆來，
神趣便飛去了。

196

虛驚

一夜——

聽窗外風聲。

可知道寄身山巔？

燭影搖搖，

影兒怎的這般清冷？

似這般山河如壘，

只是無眠——

一四三

心潮向後洶著，

時間向前走著；

青年的煩悶。

便在這交流的旋渦裏。

一四四

墻邊，
花底，
微風吹著髮兒，
是冷也何曾冷！

逗古院——
逗黃昏——
遶絲絲詩意——
繞住了斜陽和我。

星　　夢

一四五

心絃呵！
彈起來罷——
讓記憶的女神，
和著你調兒跳舞。

一四六

文字，
開了矯情的水閘；
聽同情的泉水，
深深地交流。

199

一四七

將來，
明媚的湖光裏，
可有個鹽立的碑？
怎敢這般沉默著——想。

一四八

只這一枝筆兒；
拿得起，
放得下，
便是無限的自然：

星霽

一四九

無月的中秋夜，
是怎樣的耐人尋味呢！

隔著層雲
隱著清光。

一五〇

獨坐——
山下漾雲起了，
更隔院斷續的清磬。

這樣黃昏，
這般微雨，

只做就些兒惆悵！

一五一

智慧的女兒！
向前迎住罷，
「煩悶」來了，
要敗壞你永久的工程。

一五二

我的朋友！
不要任憑文字困苦你；
文字是人做的，

星霧

人不是文字做的！

一五三

是憐愛，
是溫柔，
　　是憂愁——
這仰天的慈像，
融化了我凍結的心泉。

一五四

小小的鳥呵！
總怕聽天外的翅聲——

羽翼長成，
你要飛向何處？

一五五
白的花勝似綠的葉，
濃的酒不如淡的茶。

一五六
清曉的江頭，
白霧濛濛，
是江南天氣，
雨兒來了——

繁　　星

我只知道有蔚藍的海，

却原來還有碧綠的江，

這是我父母之鄉！

一五七

因著世人的臨照。

只可以拂拭鏡上的塵埃，

却不能增加月兒的光亮。

一五八

我的朋友！

雪花飛了，

我要寫你心裏的詩。

一五九

母親呵！
天上的風雨來了，
鳥兒躲到他的巢裏；
心中的風雨來了，
我只躲到你的懷裏。

一六○

聰明人！
文字是空洞的，

星家

言語是虛偽的；
你要引導你的朋友，
只在你
自然流露的行爲上！

一六二

大海的水，
是不能溫熱的；
孤傲的心
是不能軟化的。

一六一

207

青松枝，
紅燈彩，
和那柔曼的歌聲——

小弟弟！
感謝你付與我，
寂靜裏的光明。

一六三

片片的雲影，
也似零碎的思想麼？
然而難將記憶的本見，
將他寫起。

一六四

我的朋友！

別了，

我把最後一葉，

留與你們！

冰心詩集

最後一葉

春水

一

春水！
又是一年了，
還這般的微微吹動。
可以再照一個影兒麼？

春水溫靜的答謝我說：

「我的朋友！

冰 心 詩 集

我從來未曾留下一個影子，

不但對你是如此。」

二

四時綏綏的過去——

百花互相耳語說：

「我們都只是弱者！

甜香的夢

輪流着做罷，

憔悴的杯

也輪流着飲罷，

上帝原是這樣安排的呵！

212

水　春

三

青年人！
你不能像風般飛揚，
便應常像山般靜止。
浮雲似的
無力的生涯，
只做了詩人的資料呵！

四

蘆荻，
只伴著這黃波浪麼？

213

趁風兒吹到江南去罷！

五

一道小河
平平蕩蕩的流將下去，
只經過平沙萬里——
自由的，
沉寂的，
他沒有快樂的聲音。

一道小河
曲曲折折的流將下去，

水 爭

只經過高山深谷——
險阻的，
挫折的，
他也沒有快樂的聲音。

我的朋友！
感謝你解答了
我久悶的問題，
平薄而曲折的水流裏，
青年的快樂
在其中盪漾着了！

215

冰 心 詩 集

詩人！

不要委屈了自然罷，

「美」的圖畫，

要淡淡的描呵！

六

七

一步一步的扶走──

半隱的青紫的山峯

怎的這般高遠呢？

八

水 莘

月呵！
什麼做成了你的尊嚴呢？
深遠的天空裏，
只有你獨往獨來了。

九

倘若我能以達到，
上帝呵！
何處是你心的盡頭，
可能容我知道？
遠了！
遠了！

冰 心 詩 集

我真是太微小了呵！

一〇

忽然了解是一夜的正中，
白日的心情呵！
不要侵到這境界裏來罷。

一一

南風吹了，
將春的微笑
從水國裏帶來了！

水 花

（二）

絃聲近了，
瞽目者來了；
絃聲遠了，
也跟了去麼？
無知的人的命運

（三）

白蓮花！
清潔拘束了你了——
但也何妨讓同在水裏的紅蓮
來參禮呢？

一四

自然喚着說：

「將你的筆尖兒

浸在我的海裏罷！

人類的心懷太枯燥了。」

一五

沉默裏，

充滿了勝利者的凱歌！

一六

心呵！
什麼時候值得煩亂呢？
為着宇宙，
為着衆生。

一七

紅牆衰草上的夕陽呵！
快些落下去罷
你使許多的青年人頰老了！

一八

冰雪裏的梅花呵！

你占了春先了。
看遍地的小花
隨着你零星開放。

一九

詩人！
籠下珍重龍！
眾生的煩悶
要你來慰安呢。

二〇

山頭獨立，

222

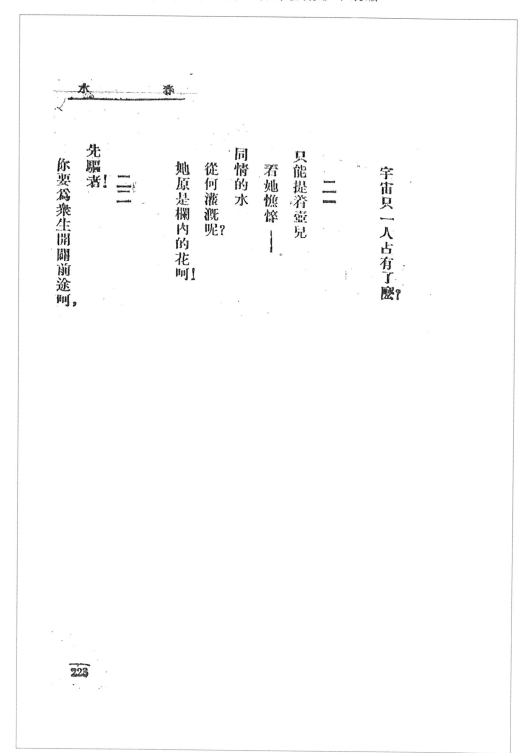

水 菜

宇宙只一人占有了麼？

二

只能提養壺兒
看她憔悴——
同情的水
從何灌溉呢？
她原是欄內的花呵！

三

先驅者！
你要爲衆生開闢前途呵，

冰 心 詩 集

束緊了你的心帶罷！

二三

平凡的池水——
臨照了夕陽，
便成金海！

二四

小島呵！
何處顯出你的挺拔呢？
無數的山峯
沉淪在海底了。

水 春

二五

吹就雪花朵朵——
朔風也是溫柔的呵：

二六

我只是一個弱者！
光明的十字架
容我背上罷，
我要拋棄了性天裏
暗淡的星辰！

二七

大風起了！
秋蟲的鳴聲都息了！

二八

愛兒欺哄了衆生了，
天以外——
月兒何曾圓缺？

二九

一般的碧綠，
只多些溫柔。

226

春水

西湖呵，
你是海的小妹妹麼？

三〇

天高了，
星辰落了。
曉風又與睡人爲難了！

三一

詩人！
自然命令着你呢，
靜下你心潮——

聽他呼喚！

三一

漁舟歸來了，
看江上點點的紅燈呵！

三三

牆角的花！
你孤芳自賞時，
天地便小了。

三四

水 蓉

青年人！
從白茫茫的地上
找出同情來罷。

三五

嫩綠的葉兒
也似詩情麼？
顏色一番一番的濃了。

三六

老年人的「過去」，
青年人的「將來」，

在沉思裏

都是一樣呵！

三七

太空！

揭開你的星網，

容我瞻仰你光明的臉龐。

三八

秋深了！

樹葉兒穿上紅衣了！

230

水　萍

三九

水向東流，
月向西落——
詩人，
你的心情
能將她們牽住了麼？

四〇

黃昏——深夜
槐花下的狂風，
　藤蘿上的密雨，
可能容我醫止你？

病的弟弟
剛剛睡濃了呵！

四一

小松樹，
容我伴你罷，
山上白雲深了！

四二

、
晚霞邊的孤帆，
在不自覺裏
完成了「自然」的圖畫。

春　　水

四三

春何曾說話呢？
但她那偉大潛隱的力量，
　　已這般的
　　溫柔了世界了！

四四

旗兒舉正了，
聰明的先驅者呵！

四五

山有時傾了，
海有時涸了。
一個庸人的心志
却終古豎立！

四六
不解放的行為，
造就了自由的思想！

四七
人在廊上，
書在膝上，

234

水 樂

拂面的微風裏
知道春來了。

四八

燕兒自由的飛走了，
無力的殘荷呵！

四九

自然的微笑裏，
融化了
人類的怨嗔。

235

五〇

何用寫呢！
詩人自己
便是詩了！

五一

雞聲——
鼓舞了別人了！
他自己可曾得到慰安麼？

五二

微倦的沉思裏——

236

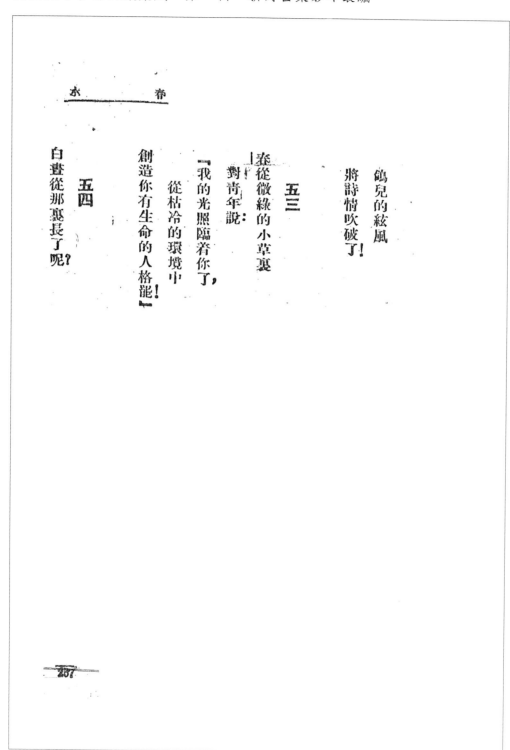

春　水

鴒兒的絃風
將詩情吹破了！

五三

春從微綠的小草裏
對青年說：
「我的光照臨著你了，
從枯冷的環境中
創造你有生命的人格罷！」

五四

白晝從那裏長了呢？

冰 心 詩 集

遠遠牆邊的樹影
都因慵得不移動了。

五五

野地裏的百合花,
只有自然——
是你的朋友罷。

五六

狂風裏——
遠樹都模糊了,
造物者塗抹了他黃昏的圖畫了。

水　　誓

五七

小蜘蛛！

停止你的工作罷，

只網住些兒塵土呵！

五八

冰似山般靜寂，

山似水般流動，

五九

詩人可以如此的支配他麼？

239

冰　心　詩　集

（二）

乘客呼喚著說：

『舵工！

　小心礁裏的暗礁罷。』

舵工悄悄的微笑說：

『我知道那當行的水路，

　這就毀了！』

六〇

流星——

只在人類的天空裏是光明的；

牠從黑暗中飛來，

水　誓

又向黑暗中飛去,
　　生命也是這般的不分明麼?

六一

弟弟!
且喜又相見了,
我回憶中的你,
那能像這般清晰?

六二

我要挽那「過去」的年光,
但時間的經緯裏

241

巳織上了「現在」的絲了！

六三

柳花飛時，
燕子來了；

蘆花飛時，
燕子又去了：

但她們是一樣的潔白呵！

六四

嬰兒，

在他顫動的啼聲中

水 萍

一

有無限神祕的言語，
從最初的靈魂裏帶來
要告訴世界。

六五

只是一顆孤星罷了！
在無邊的黑暗裏
已寫盡了宇宙的寂寞。

六六

清絕——
是靜寂還是清明？

只有凝立的城牆，

　　被雪的楊柳，

冷又何妨？

白茫茫裏走入畫圖中罷！

六七

信仰將青年人

扶上「服從」的高塔以後，

便把「思想」的梯兒撤去了。

六八

當我自己在黑暗幽遠的道上

春水

常心的慢慢走着，
我只傾聽着自己的足音。

六九

沉寂的淵底，
却照着
永遠紅艷的春花。

七〇

玫瑰花的濃紅
在我眼前照耀，
伸手摘將下來，

她却萎謝在我的襟上。

我的心低低的安慰我說：

「你隔絕了她和自然的連結，

這濃紅便歸塵土；

青年人！

留意你枯燥的靈魂。」

七一

常我浮雲般

自來自去的時候，

真覺得宇宙太寂寞了！

水 窪

七一

體倦的春風
只送些「不甯」來了！

城牆——
微綠的楊柳——
都隱沒在飛揚的塵土裏。
這也是人生斷片的煩悶啊！

七五

我的朋友！
倘若春花自由的開放時，

247

冰心詩集

無意中愁苦了你，
你當原諒他是受自然的指揮的。

七四

在模糊的世界中——
我忘記了最初的一句話，
也不知道最後的一句話。

七五

昨日遊湖，
今夜聽雨——
這雨點已落到我心中的湖上，

水 卷

漾出無數的縠紋了！

七六

寂寞增加鬱悶，
忙碌劃除煩惱——
我的朋友！
快樂在不停的工作裏！

七七

只坐在階邊說笑——
山上的樓臺
斜陽照着，

何曾不想一登臨呢？
清麗不要一日享盡了呵！

七八
可曾有過？
釣磯獨坐——
滿湖柔波
盪入春泛。

七九
我願意在離開世界以前
能低低告訴他說：

水　　　牽

「世界呵，
我澈底的了解你了！」

八〇

常我看見綠葉又來的時候，
我的心欣喜又感傷了。
亦敢的綠葉呵！
記否去秋黯淡的離別呢？

八一

我獨自
經過了青青的松柏，

251

〈上了層層的石階。

祈年殿
莊嚴地立在黃塵裏，

我——
我只能深深的低首了！

八二

我的朋友，
不要讓春風欺哄了你，
花色原不如花香啊！

八三

春　　　　水

微雨的山門下，
　石階溼着——
只有獨立的我
和縷縷的遊雲，
這也是「同恭密藏」麼？

八四

燈下拔了劍兒出鞘，
細看——凝想
只有一腔豪氣，
竟忘却
血珠鮮紅

253

淚珠晶白。

八五、

我的朋友！

倘若你憶起這一湖春水。

要記住

他原不是溫柔，

只是這般冰冷。

八六、

談笑着走下層階，

斜陽裏——

水　卷

偶然後顧紅牆，
　前瞻黃瓦
霎時間我了解什麼是「德國」了，
我的心靈從此淒動了！

八七

青年人！
只是回顧應
這世界是不住的前進呵。

八八

春徘徊着來到

255

這莊嚴的壇上——
在無邊的清冷裏，
只能把一絲春意，
交付與階隙裏
微小的草兒了。

八九

桃花無主的開了，
小草無主的青了；
世人真癡呵！
為何求自然的愛來慰安呢！

水　　　拳

九〇
聰明人！
在這漠漠的世界上，
只能提着「自信」的燈兒
進行在黑暗裏。

九一
對着幽豔的花兒凝望，
為着將來的果子
只得留他開在枝頭了！

九二

星兒！
世人凝注着你了，
導引他們的眼光
超出太空以外罷！

九三

一陣風來——
湖水向後流了，
石磯向前走了，
迷惘裏……
我——我胸中的海澱呵！

春　　水

九四

什麼是播種者的喜悅呢！

倚鋤望——

到處有青青之痕了！

九五

月兒——

在天下的水鏡裏，

這邊光明，

那邊黯淡。

但在天上却只有一個。

九六

『什麼時候來賞荷呢？』
　『來日罷，』
『來日』過去了。

『什麼時候來遊湖呢？』
　『來年罷，』
『來年』過去了。

『什麼時候來工作呢？』
　『來生罷，』
什麼？
我微笑而又驚悚了！

本　　　集

九七

寥廓的黃昏,

何處着一個徬徨的我?

母親呵!

我只要歸依你,

心外的湖山,

容我拋棄罷!

九八

我不會彈琴,

我只靜默的聽着;

我不會繪畫，
　我只沉寂的看着；
我不會表現萬全的愛，
我只虔誠的禱告着。

九九

「幽蘭！
　未免太寂寞了，
不願意要友伴麼？」
「我正尋求着呢！
　但沒有別的花兒
肯開在空谷裏。」

水 祭

一〇〇

當青年人肩上的重擔
忽然卸去時，
他勇敢的心
便要因着寂寞而悲哀了！

一〇一

我的朋友！
最後的悲哀
還須禁受。

在地球粉碎的那一日，

263

幸福的女神，

要對絕望衆生

作末一次悵感的微笑。

一〇二

我的問題——！

我的心

在光明中沉默不答。

我的夢

却在黑暗裏替我解明了！

一〇三

水　　　樣

知慧的女兒！
在不住的抵抗裏，
你永遠不能了解
什麼是人類的同情。

一〇四

魚兒上來了，
水面上一個小蟲兒飄浮着——
在這小小的生死關頭，
我微弱的心
忽然顫動了！

一〇五

造物者——

倘若在永久的生命中

只容有一次極樂的應許。

我要至誠地求着：

「我在母親的懷裏，

母親在小舟裏，

小舟在月明的大海裏。」

一〇六

詩人從他的心中

滴出快樂和憂愁的血。

206

春　　水

在不知不覺裏
已成了世界上同情的花。

一〇七

只是紙上縱橫的字——
縱橫的字，
那有詞句呢？
只重疊的黑跡裏
已留下當初凝想之痕了！

一〇八

母親呵！

乳娘不應毰弄脆弱的

誰最初的開了

我心宮裏悲哀之門呢？

——你拭乾我現在的

微笑中的淚珠罷——

牆外丐婦求乞的悲聲，

將我的心從睡夢中

重重的敲碎了！

她將我的母親帶去了

母親不在搖籃邊了。

水　　　晶

這是我第一次感出
世界的虛空呵！

一〇九

夜正長呢！
能下些雨兒也好。
窗外果然滴瀝了——
數着雨聲罷！
只依舊是煩鬱麼？

一一〇

聰明人！

纖纖的月，

完滿在後頭呢！

姑且容淡淡的雲影

　遮蔽着她罷。

二二

小麻雀！

休飛進田隴裏。

隴裏，

遍地彈機

正靜靜的等着你。

水　　作

一二二

浪花愈大，
凝立的磐石
在沉默的持守裏，
快樂也愈大了。

一二三

星星——
只能白了青年人的髮，
不能灰了青年人的心。

一二四

我的朋友！

不要隨從我，

我的心靈之燈，

只照自己的前途呵！

一二五

兩行的紅燭燃起了～

堂下花陰裏，

隱着淺紅的袷衣。

耆年的歡樂

容她回憶罷！

水 罘

二六

山上的樓窗不見了，
燈花爐也！
天風裏
危岩獨倚。
便小草也是伴侶了！

二七

夢未終——
窗外日遲遲，
堂前又遇見伊！
牽牛花！

273

昨夜靈魂裏攀摘的悲哀，

可曾身受麼？

一二八

紫藤蘿落在池上了，

花架下

　　長晝無人，

只有微風吹著葉兒響。

一二九

詩人的心靈，

只合顫動麼？

水 都

平凡的急管繁絃，
已催他低首了！

一二〇

「祖父千秋，
同祝一杯酒！」

明燈下，
笑聲裏，
面頰都靠紅了！

妹姊們！
何必當初？

275

到如今酒闌人散——

苦雨孤燈的晚上，

只添我些淒涼的囘憶呵！

一三二

世人呵！

暫時的花兒

原不配供在永久的瓶裏，

遺稚弱的生機，

請你憐憫罷！

一三三

水　　　叠

自然的話嚅
太深微了，
聰明人的心
却是如何的簡單呵！

一二三

幾天的微雨
將春的消息隔絕了。

無聊裏——
幾朵枯花，
只拈來凝想。
原是去年的舊語呵，

277

也可作今日的慰安麼？

一二四
黃昏了——
湖波欲睡了——
走不盡的長廊呵！

一二五
修養的花兒
在寂靜中開過去了，
成功的菓子
便要在光明裏結實。

水　春

一二六

虹兒!
你後悔麼?
雨後的天空
偶然出現,
世間兒女
已盡你的影兒在羅帶上了。

一二七

清曉——
靜悄悄地走入園裏,
萬有都在睡夢中呵!

除却零零的露珠。
誰是伴侶呢？

一二八

海洋將心情深深的分斷了——
十字架下的嬰兒呵！
隔着滄溟
只能有泛泛的微笑麼？

一二九

朝陽下的鳥聲清囀着，
簾帷吹捲了，

水　　草

又聽得葉兒細響——
無奈詩人的心變呵！
不許他拿起筆兒
却依舊這般凝想。

一三〇

這時又是誰在海舟上呢？
水面遺昏
憑欄的凝眺，——
山中的我
只合空想了。

青年人！

覺悟後的悲哀

只深深的將自己葬了。

原也是微小的人類呵！

〔一三一〕

花又在瓶裏了，

書又在手裏了，

但——

是今年的秋雨之夜！

春　　　　　水

一三三

只兩朵昨夜襟上的玉蘭，
便將曉風和朝陽
都深深地記在心裏了。

一三四

命運如同海風——
吹着青春的舟，
飄搖的，
　　曲折的，
渡過了時光的海。

283

一三五

夢裏探摘的天花，

醒來不見了——

我的朋友！

人生原有些願望！

只能永久的寄在幻想裏！

一三六

洞谷裏的小花

無力的開了，

又無力的謝了。

便是未曾領略過春光呵，

水　　霽

却也應曉得！

一三七
沉默著罷！
在這無窮的世界上，
弱小的我
原只常微笑
不應放言。

一三八
幢幢的人影，
沉沉的燭光——

都將永別的悲哀，
和人生之謎語，
刻在我最初的回憶裏了。

一三九

這奔湧的心潮
只索情楞嚴來鎮壓了。
無力的人呵！
究竟會悟到「空不空」麼？

一四〇

遨遊於夢中罷！

春　　　　　水

在那裏
只有自由的言笑，
率眞的心情。

〔一四〕
雨後——
　隨着蛙聲，
荷盤上的水珠，
將衣裳濺濕了。

〔一四二〕
玫瑰開花了。

287

為著無聊的風，
一小小的水邊
覺不想再去了。

詩人的生涯
只終於寂寞麼？

一四三

揭開自然的籠兒罷！
——藝術的嬰兒，
正臥在真理的娘懷裏。

一四四

春 水

時人也只是空寫罷了！

一點心靈——
何曾安慰到
雨聲裏痛苦的征人？

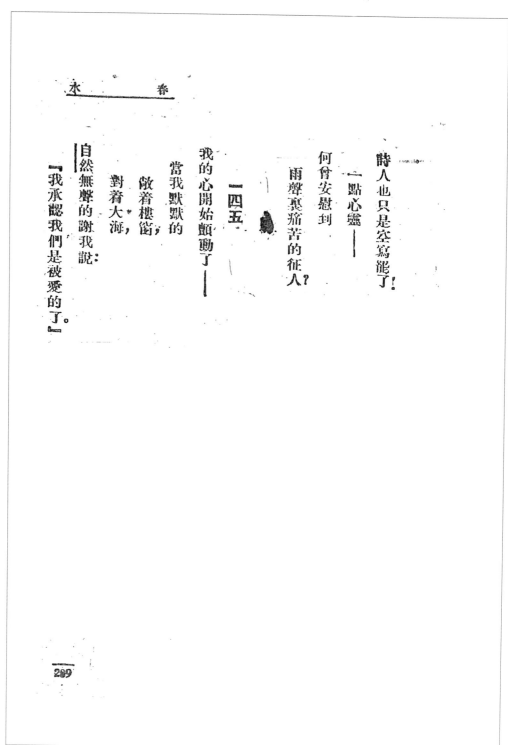

一四五

我的心開始顫動了——
當我默默的
做着樓嶠，
對着大海，
自然無聲的謝我說：
「我承認我們是被愛的了。」

冰 心 詩 集

一四六

經驗的花
結了智慧的果，
智慧的果
却包着煩惱的核！

一四七

綠陰下，
沉思的坐着——
遊絲般的詩情呵！
迷濛的春光

春水

剛將你抽出來，
藥底園丁的剪刀聲
又將你剪斷了。

一四八

謝謝你！
我的朋友！
這朵素心蘭
請你自己戴着罷。
我又何忍辭謝她？
但無論是玫瑰
——是香蘭，

我都未曾放在髮兒上。

一四九

上帝呵！
即或是天陰陰地，
　　　人寂寂地，
只要有一個靈魂
守着你嚴靜的清夜，
寂寞的悲哀，
便從宇宙中消滅了。

一五〇

春　水

岩下

　緩緩的河流，
　——深深的樹影——
指點着
　細語着，
許多詩意
籠蓋在月明中。

一五一

　浪花後
　是誰蕩槳？
這槳聲

侵入我深思的圈兒裏了！

（一五一）

先驅者！

絕頂的危峯上

可曾放眼？

便是此身解脫，

也應念着山下

勞苦的衆生！

（一五二）

笠兒戴着，

牛兒騎着，
眉宇裏深思着——

小牧童！
一般的沐着大地上的春光呵，
完滿的無聲的讚揚，
詩人如何比得你！

一五四
柳條兒削成小漿，
蓮瓣兒做了扁舟——
容宇宙中小小的靈魂，
輕柔地泛在春海裏。

295

一五五

病後的樹陰
也比從前濃鬱了，
開花的枝頭，
却有小小的果兒結着。
我們只是改個麗兒相見呵！

一五六

霾起——
廊上黃昏，
薄衲臨風；

296

水　　春

庭院水般清，
心地鏡般明；
是畫意還是詩情？

一五七

姊姊！
清福便獨享了罷，
何須寄我些春泛的新詩？
心靈裏已是煩忙
又添了未曾相識的湖山，
頻來入夢。

一五八

先驅者！
前途認定了
切莫回頭！

一回頭——
靈魂裏潛藏的怯弱，
要你停留。

一五九

憑欄久
涼風漸生
何處是天家？

水 葦

真要乘風歸去！

看——

清冷的月

已化作一片光雲，

輕輕地飛在海濤上。

一六〇

自然無聲的

看着勞苦的詩人微笑：

「想着能！

寫着能！

無限的莊嚴，

299

你可曾約略知道？

詩人投筆了！

微小的悲哀

永久遺留在心坎裏了！

一六一

隔窗舉起杯兒來——

落花！

和你作別了！

原是清涼的水呵，

只覺是甜香的酒罷。

水　　爭

一六二

崖壁陰陰處，

海波深深處，

垂著絲兒獨釣。

魚兒！

不來也好，

我已從蔚藍的水中

釣著詩趣了。

一六三

暮色蒼蒼——

遠村在前，

山門在後。

黃土的小道曲折着，

踽踽的我無心的走着。

生命的小道曲折着，

踽踽的我不自主的走着。

一消滅在後。

一表現在前，

宇宙昏昏——

一般的遙遠的前途啊！

水 聲

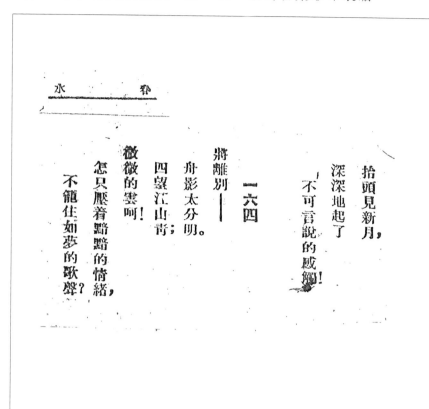

抬頭見新月，
深深地起了
不可言說的感觸！

一六四

將離別——
舟影太分明。
四圍江山哥；
微微的雲呵！
怎只壓着黯黯的情緒，
不籠住如夢的歌聲？

一六五

我的朋友，
坐下莫徘徊，
照影到水中，
累他遊魚驚起。

一六六

遙指峯尖上，
孤松峙立，
怎得倚着樹根看落日？

已近黃昏，

水　　都

算着路途罷！
衣薄風寒，
不如休去。

一六七

綠水邊——
幾雙遊鴨，
幾個浣衣的女兒，
在詩人臚前
展開了一幅自然的圖畫。

一六八

冰心靜集

朦朧的月下——
長廊靜院裏。

不是清磬破了岑寂，
、便落花的聲音，
也聽得見了。

一六九

未生的嬰兒，
從生命的球外
攀著「生」的窗戶看時，
已隱隱地望見了
對面「死」的洞穴。

水　　　　春

一七〇

為着斷送百萬生靈
不絕的砲聲，
嚴靜的夜裏，
凄然的將捉在手裏的螢蟲
放到窗外去了。

一七一

馬蹄過處，
蹴起如雲的塵土；
據鞍顧盼，

冰 心 詩 集

平野詩詩——

只留下無窮的悵惘罷了，

英雄夢那許詩人做？

一七二

開函時——

正席地坐在花下，

一陣涼風

將看完的幾張吹走了。

我只默默的望着，

聽他吹到牆隅，

慰悅的心情

永 春

也和這紙兒一樣的飛揚了!

一七三

明月下，
綠葉如霞，
白衣如雪——
怎樣的感人呵!
又況是別離之夜?

一七四

青年人，
珍重的描寫罷，

集 詩 心 冰

時間正翻着舊頁，
請你着鞭！

一七五

我懷疑的撒下種子去，
便閉了窗戶默想着。
我又懷疑的開了窗，
豈止萌芽？
還有莽之痕
還滋蔓到他人的園地裏。

上帝呵！

low- 水 萍

感謝你自然的風雨！

一七六

戰場上的小花呵！
讚美你最深的愛！
冒險的開在槍林彈雨中，
慰藉了新骨。

一七七

我的心忽然悲哀了！
昨夜夢見
獨自穿著冰綃之衣，

從洶湧的波濤中
渡過黑海。

一七八

微陰的階上，
只坐着自己——
綠葉呵！
玫瑰落盡，
詩人和你
一同感出寂寞了。

一七九

水　　神

明月！
完成了你的淒清了！
銀光的田野裏，
是誰隔着小溪
吹起悠揚之笛？

一八〇

嬰兒！
誰像他天真的頌讀？
當他呢喃的
對着天末的晚霞，
無力的鐘兒

冰 心 詩 集

真當拋棄了。

一八一

襟上摘下花兒來，

匆匆裏

就算是別離的贈品罷！

馬已到門前了，

要不是牆內聽得她笑言，

錯過也

又幾時重見？

水 春

一八二

別了！

春水，

感謝你一春潺潺的細流，

帶去我許多意緒。

向你揮手了，

緩緩地流到人間去罷。

我要坐在泉源邊，

靜聽回響。

三五——六一四·二九三二

315

一九三二年六月付版

一九三二年八月初版

冰心全集之二 冰心詩集

著作者　冰心女士

發行人　李志雲

發行者　北新書局

排印者　蔚文印刷局

總發行所　北新書局

上海四馬路中市

分發行所　北新書局

北平廣州開封重慶灣南
成都南京汕頭雲南溫州